MW01098277
Hello!
AUTUMN
Coloring & Activity Book
for Kids
Blue Wave Press

Coloring Pages

AUTUMN

I LOVE
AUTUMN

Autumn

Activity Pages

1 - light blue 2 - dark yellow 3 - dark green 4 - brown 5 - yellow 6 - orange 7 - light green 8 - red

Autumn Word Search

O R X Q C I G F A P S S K F T
A R A K E X L K H Q S E I G A
Q T Z M C S L H R Y E E I H B
B E Q R E Y A C I U N R H F S
L U U V J G F H O L K T Y M W
P G A U K C G I A F R G C X E
C E E C O Q R L I N A R Z L A
L A T N E E I L A T D P B K T
D D T K H F Z Y G U G S B Q E
Z P A T D W Y B L S T S L H R
H L A P Z H R U V B T U Q G W
D E N I A R R H Q N L O M U X
W U N H A R V E S T N V R N V
W P N R N E E W O L L A H M G
O K K S I R B O W P T R S B S

AUTUMN
BRISK
CHILLY
DARKNESS
FALL

HALLOWEEN
HARVEST
LEAVES
RAIN
RAKE

STORMS
SWEATER
TREES
WEATHER

AUTUMN
BRISK
CHILLY
DARKNESS
FALL
HALLOWEEN
HARVEST
LEAVES
RAIN
RAKE
STORMS
SWEATER
TREES
WEATHER

Find 10 Differences

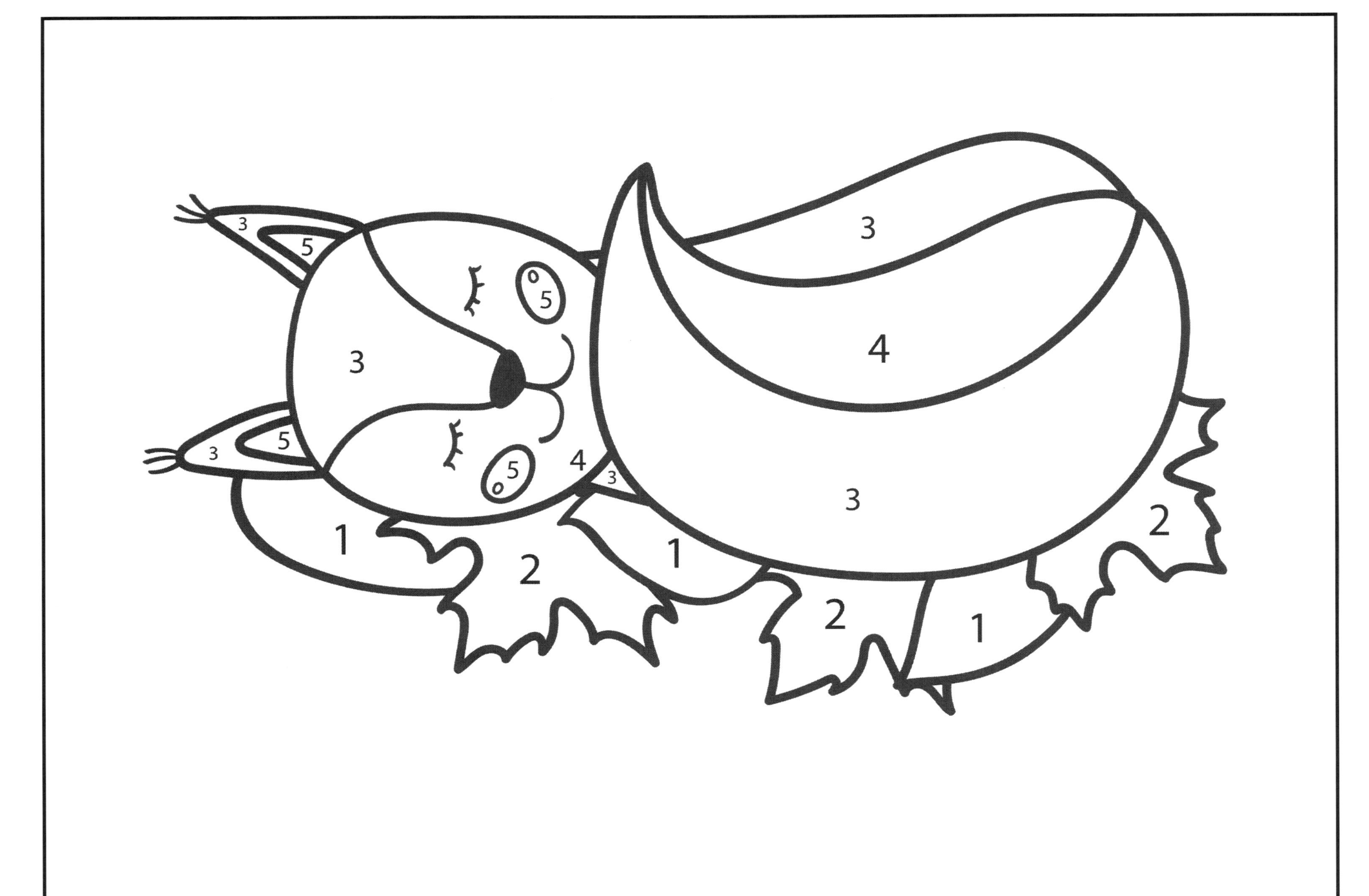

1 - green 2 - red 3 - brown 4 - tan 5 - pink

1
2
3
4
5
6
7
8
9
10
11
12
13
14
15
16
17
18
19
20
21
22
23
24
25
26
27
28
29
30
31
32
33
34
35
36
37
38
39
40
41
42
43
44
45
46
47
48
49
50

Autumn Weather

I	J	M	C	E	S	W	B	Y	Z	E	E	R	B	W
F	R	Y	J	Y	Y	N	W	C	G	Z	G	N	T	H
O	S	L	E	E	C	I	C	N	M	V	N	O	M	Z
E	T	W	W	Z	X	I	H	R	Q	Y	I	R	R	A
M	I	B	H	F	O	A	O	K	L	C	Z	T	P	G
A	Q	R	P	H	R	T	I	L	T	C	E	H	S	C
U	U	I	O	S	S	I	I	E	Y	Z	E	E	I	O
T	E	S	Y	W	C	H	G	V	T	G	R	A	R	L
W	D	K	O	E	C	K	B	I	C	Y	F	S	C	D
S	E	N	V	E	V	J	N	C	D	P	R	T	Z	S
D	S	A	S	E	I	R	R	U	L	F	I	E	Q	G
T	F	E	T	N	N	W	I	N	T	R	Y	R	P	D
Q	Z	L	A	H	B	F	R	O	S	T	Y	H	N	P
X	L	Z	F	X	E	I	C	T	J	G	J	I	F	B
R	N	D	W	A	O	R	M	L	H	D	W	U	F	O

BREEZY	FLURRIES	NORTHEASTER
BRISK	FREEZING	SNOWSTORM
CHILLY	FRIGID	WEATHER
COLD	FROSTY	WIND
CRISP	ICE	WINTRY

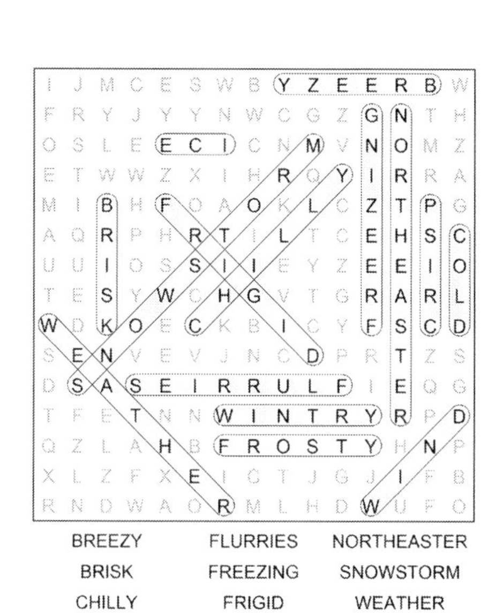

BREEZY	FLURRIES	NORTHEASTER
BRISK	FREEZING	SNOWSTORM
CHILLY	FRIGID	WEATHER
COLD	FROSTY	WIND
CRISP	ICE	WINTRY

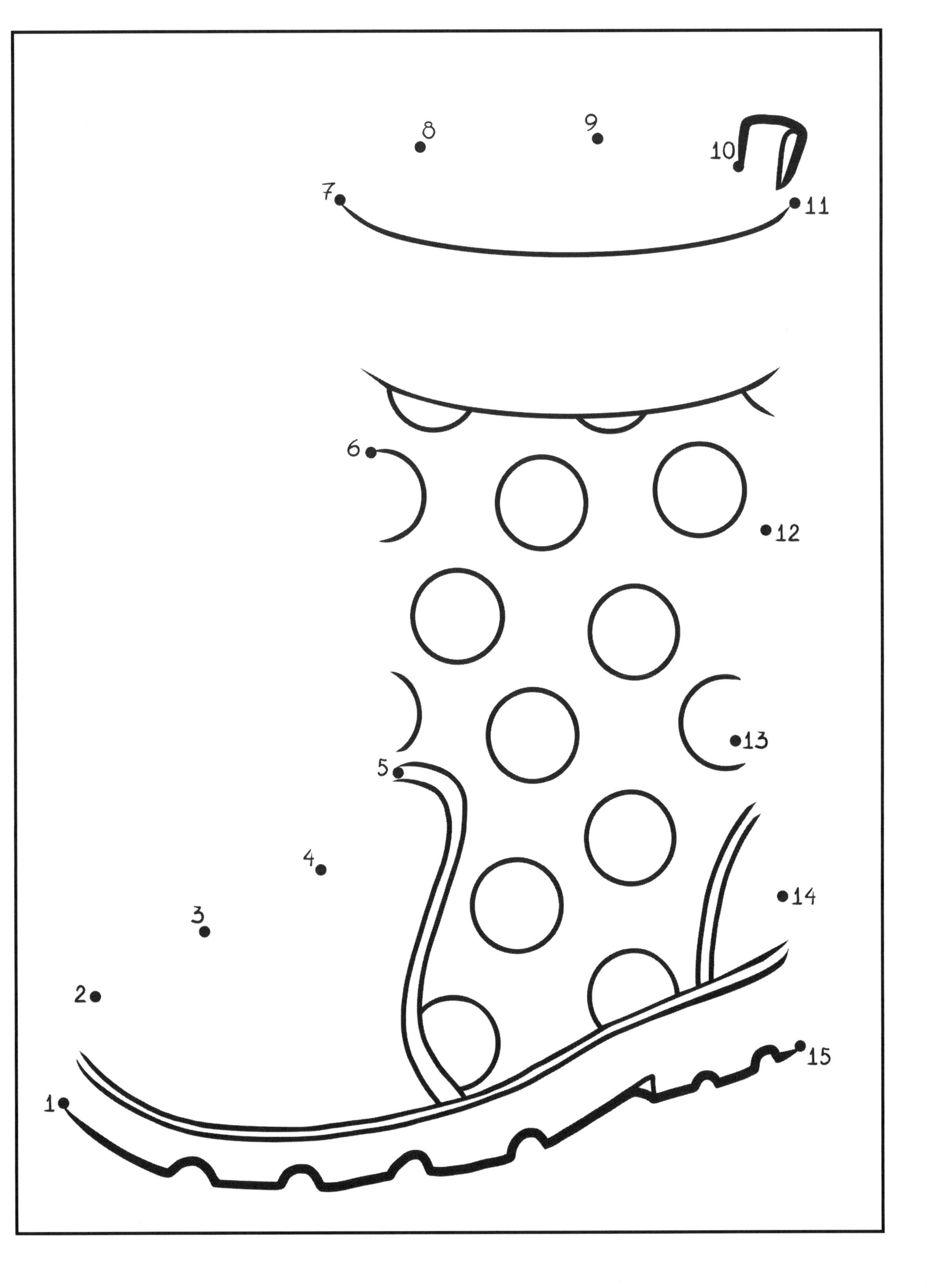

1
2
3
4
5
6
7
8
9
10
11
12
13
14
15

FALL FEAST

T	L	D	D	X	M	E	A	L	L	S	U	O	Y
T	U	Z	X	V	I	Z	Y	E	A	X	K	S	S
R	G	R	U	M	D	T	F	F	G	O	Q	X	E
A	D	D	K	T	E	M	F	N	A	J	Z	V	Q
D	V	I	G	E	J	K	I	C	C	L	I	P	E
I	A	N	U	U	Y	F	X	L	A	T	L	F	Y
T	D	N	T	C	F	N	I	D	A	R	N	R	S
I	J	E	P	U	L	W	B	N	B	T	V	K	Q
O	Q	R	T	H	I	D	P	F	D	G	C	E	N
N	I	S	M	A	Y	F	L	O	W	E	R	R	H
A	T	M	T	C	M	B	H	L	Q	G	O	X	L
Z	F	D	I	O	N	O	Y	X	N	C	G	L	R
S	Z	C	E	O	R	E	C	I	P	E	X	X	Z
I	B	R	E	K	Q	Y	Y	I	I	H	M	H	J

Carve
Cook
Corn
Dinner
Fall
Mayflower
Meal
Native
Recipe
Stuffing
Tradition
Turkey

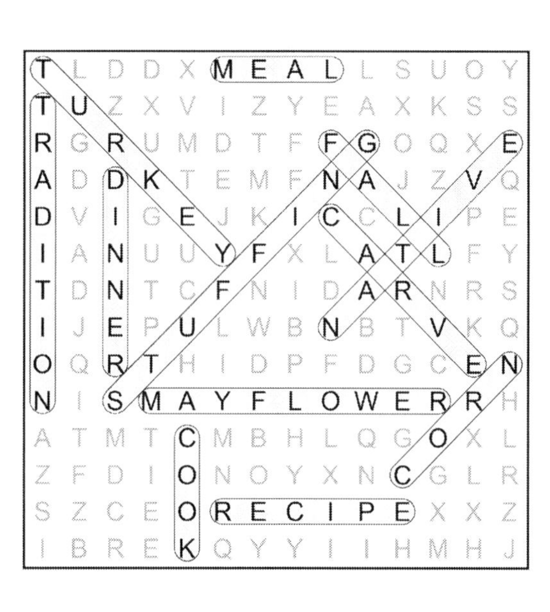
T L D D X M E A L L S U O Y
T U Z X V I Z Y E A X K S S
R G R U M D T F F G O Q X E
A D D K T E M F N A J Z V Q
D V I G E J K I C C L I P E
I A N U U Y F X L A T L F Y
T D N T C F N I D A R N R S
I J E P U L W B N B T V K Q
O Q R T H I D P F D G C E N
N I S M A Y F L O W E R R H
A T M T C M B H L Q G O X L
Z F D I O N O Y X N C G L R
S Z C E O R E C I P E X X Z
I B R E K Q Y Y I I H M H J

COUNT AND COLOR

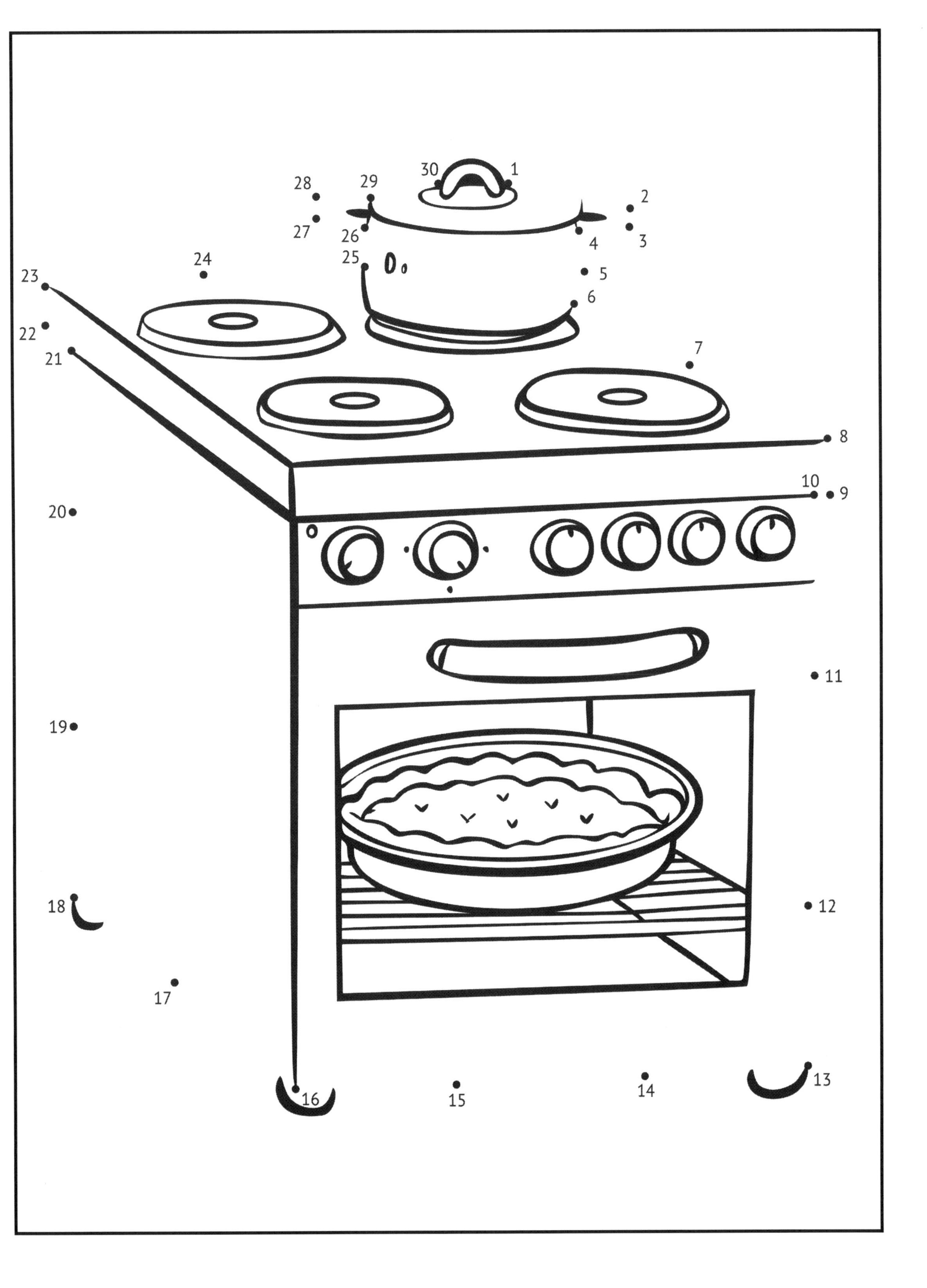

Harvest Time

A	F	J	G	U	O	D	S	S	I	I	J	N	B	Y
J	J	A	M	S	N	N	I	A	R	G	L	F	B	E
F	R	S	R	B	N	A	O	T	C	H	R	E	O	K
E	W	V	V	M	I	F	E	A	V	K	H	F	Z	H
S	G	P	D	S	E	E	H	A	R	V	E	S	T	S
T	V	A	S	H	G	R	Q	D	X	P	B	D	N	K
I	M	L	A	N	D	H	S	R	X	L	T	I	B	W
V	K	L	U	F	I	T	N	E	L	P	K	H	R	L
A	A	K	R	R	V	Y	A	H	Q	P	N	E	V	P
L	W	N	O	U	S	C	E	X	M	S	R	A	G	E
C	B	M	T	O	E	D	R	U	X	I	O	B	P	I
X	K	V	C	L	A	B	P	O	W	X	C	I	H	K
T	U	S	A	F	S	B	R	V	P	N	R	B	S	E
R	F	H	R	F	O	P	R	C	H	S	P	R	F	D
I	D	U	T	V	N	D	X	W	H	E	A	T	D	A

CORN	GRAIN	PUMPKINS
CROPS	HARVEST	RIPE
FARMERS	HAY	SEASON
FESTIVAL	LAND	TRACTOR
FLOUR	PLENTIFUL	WHEAT

CORN	GRAIN	PUMPKINS
CROPS	HARVEST	RIPE
FARMERS	HAY	SEASON
FESTIVAL	LAND	TRACTOR
FLOUR	PLENTIFUL	WHEAT

1
2
3
4
5
6
7
8
9
10
11
12
13
14
15
16
17
18
19
20
21
22
23
24
25
26
27
28
29
30
31
32
33
34
35
36
37
38
39
40
41
42
43
44
45
46
47
48
49
50

Pumpkins

T	S	E	E	D	S	E	T	E	K	R	A	M	R	R
J	A	V	L	U	M	P	Z	G	Y	Q	C	Z	S	C
C	K	R	N	S	S	E	K	A	C	N	A	P	R	C
N	H	B	J	B	C	O	O	K	I	E	S	Z	N	L
S	I	G	A	A	P	T	N	N	L	J	T	T	P	X
V	V	Q	W	K	C	Z	W	D	Z	N	N	P	U	D
W	I	D	G	A	E	K	Y	Q	E	V	B	X	M	E
B	N	H	H	S	V	K	O	E	B	T	R	U	P	Y
X	E	Y	R	S	J	R	W	L	G	X	E	Q	K	H
H	S	Y	R	C	P	O	S	N	A	H	A	W	I	T
C	B	E	D	V	L	B	I	P	F	N	D	W	N	L
T	V	D	R	L	I	V	A	Q	R	N	T	B	S	A
A	Y	E	A	I	R	E	H	M	N	O	F	E	E	E
P	C	H	G	A	S	G	U	N	G	R	U	I	R	H
Q	Q	C	C	Z	B	H	Q	T	Z	O	P	T	F	N

BAKE
BREAD
CARVING
COOKIES
HALLOWEEN
HEALTHY
JACK O LANTERN
MARKET
PANCAKES
PATCH
PIE
PUMPKINS
SEEDS
SPROUT
VINES

BAKE	HEALTHY	PIE
BREAD	JACK O LANTERN	PUMPKINS
CARVING	MARKET	SEEDS
COOKIES	PANCAKES	SPROUT
HALLOWEEN	PATCH	VINES

1
2
3
4
5
6
7
8
9
10
11
12
13
14
15
16
17
18
19
20
21
22
23
24
25
26
27
28
29
30
31
32
33
34
35
36
37
38
39
40

Made in United States
Troutdale, OR
10/16/2024